Bienvenue's English to French Translation Guide

To help with those pesky little words that trip us up...

By Danielle Hayduk

Founder of

Bienvenue French Language School

English		French

AAA

a	article	un / une
able	to be able to	pouvoir
about	in reference to	au sujet de/à propos de
	approximately	environ
	around	autour de
	it's about time…	il était temps
	what about… ?	et… ?
above	above	au-dessus
	from above	d'en haut
	the paragraph above	le paragraphe ci-dessus
	above mentioned	sus-mentionné
	above all	surtout
across	to go across	traverser
	across the street	de l'autre côté de la rue
after	after	après
	behind	derrière
	afternoon	après-midi
	after doing…	après avoir fait…
	after I did	après avoir + ppart
	according to…	d'après…
	time after time	maintes fois/sans arrêt
	after taste	arrière-goût
afterwards	afterwards	après/ensuite/plus tard

again	again	encore
	once again	encore une fois
	prefix	ra-/re-
	again and again	à plusieurs reprises
	now and again	de temps en temps
	then again...	d'ailleurs/de plus
against	against	contre
	prefix	contre-
	against my will	malgré moi (ind. pronoun)
	to go against	aller à l'encontre de
	versus	vis-à-vis/contre
age	age	âge
	10 years old	avoir 10 ans
	Middle ages	le moyen âge
	at his age	à son age
	to be of age	être en âge de
ago	10 years ago	il y a dix ans
	an hour ago	il y a une heure
	not long ago	il n'y a pas longtemps
ahead	ahead	devant
	to look ahead	regarder de l'avant
	to go ahead	prendfre les devants
alike	alike	semblable/pareil

all	all + noun	tout/toute/tous/toutes
	all hours	à toute heure
	all the way	jusqu`à
	all my life	toute ma vie
	for all i know	autant que je sache
	not at all	pas du tout
almost	almost	presque
	almost always	presque toujours
alone	alone	seul(e)
	all alone	tout seut
along	along with	avec
	besides	à côté de
	to walk along	marcher le long de
a lot	a lot	beaucoup
	a lot of + plur. noun	beaucoup de + plur. noun
already	already	déjà
alright	alright (OK)	d'accord/entendu/OK
	referring to health	bien (je vais bien)
also	also	aussi
	me too	moi aussi
	not only... but also	non seulement... mais aussi
although	although	bien que (+ subj.)
always	always	toujours

among	among	parmi
	between	entre
	amongst	au milieu de
amount		
	amount	la somme
	a big amount	une somme importante
and	and	et
	after *without*	sans... ni...
	better and better	de mieux en mieux
another		
	another	encore un
	a different	un,e autre
	near on another	près l'un de l'autre
anti-	prefix	anti-
any	any	du/delà/de l'/des
	any (negation)	ne.. pas de
	any = none	aucun/aucune
	anyone	quelqu'un
	anyone (w/negative)	personne
	anywhere	quelque part
	anywhere (with neg.)	nulle part
	anyway	de tout façon
	any way	n'importe comment
apart	apart	à part
	a kind apart	un genre à part
	apart from this	à part ceci/en dehors de

around	surrounding	autour de
	about/approximately	environ/aux alentours de
as	while	comme/pendant/alors que
	like	comme
	as for	quant à
	as + adj + as	aussi + adj + que

BBB

back	to be back	de retour
	a few years back	il y a quelques années
backwards		
	backwards	arrière
	to go backwards	aller en arrière
bad	adjective	mauvais
	too bad	tant pis/quel dommage
based	based	basé
	based on	fondé sur
basic	basic	fondamental/de base
	basic (noun)	non + de base
because		
	because	parce que/car
	because of	à cause de
	it is because	c'est pour cela
before	before	avant
	before doing	avant de + inf.

	In front of	devant
beforehand		
	beforehand	au préalable
beginning		
	at/in the beginning	au début
	the beginning of	le début de
behind	behind	derrière
below	see under	
beneath		
	beneath	en-dessous de
beside	beside	à côté de
	besides	de toute façon
best	the best	le meilleur
	at best	au mieux
	better than	mieux que
better	better	mieux
	better than	mieux que
	it is better to	il vaut mieux + inf
between		
	between	entre
	in between	au milieu de
beyond	beyond	au-delà de

bit	a bit	un peu
	a bit of	un peu de
both	both	tous les deux/toutes les deux
	both of them	tous deux/tous les deux
	both times	les deux fois
bottom	the bottom of	le fond de
	the underside	le dessous de
but	but	mais/cependant/or
by	by	par
	next to	à côté de
	by me...	d'après moi

CCC

calm	calm	tranquille
	calmly	tranquillement
can	to be able to	pouvoir
careful		
	careful	attentive
	be careful	attention!/fait attention
certain		
	certain	certain
	it is certain	c'est sûr/c'est certain
	certainly	certainement/assurément
cheap	cheap	bon marché

close	close to	près de
	closely	étroitement
	to follow closely	suivre de près
color	color	la couleur
	what color is it	de quelle couleur est-ce
	in + color	en rouge/noir, etc.
	I like red.	J'aime le rouge.
contrary		
	contrary	contraire/opposé
	contrary direction	à contre-sens
	contrary to	contraire à/opposé à
	on the contrary	au contraire
convenient		
	convenient	pratique/commode
	if it is convenient for you	si cela ne vous dérange pas
copy	copy	la copie/la photocopie
	to copy	copier/photocopier
	a true copy	une copie conforme
	copyright	tous droits réservés
correct		
	correct	correct/exact
	that's correct	c'est exact
could	to be able to	pourrais/pourrait etc.

counter – see against

country		
	a country	un pays
	countryside	la campagne
	to go to the country	aller à la campagne
	to go to a country	aller au + masc. /en + fem.
crazy	crazy	fou/folle/dérangé
	to drive someone	rendre fou/folle
	to be craxy about	être fou de

DDDD

daily	daily	quotidien/quotidienne
damage		
	damage	dommage/dégât
	no damage done	il n'y a pas de mal
	to sue for damages	poursuivre en dommages et intérêts
dark	the dark	l'obscurité/le noir
	it's dark	il fait nuit/noir
	it's very dark	il fait nuit noir
	a dark color	une couleur sombre/foncé
date	date	la date
	today's date	nous sommes le...
	to date	jusqu'à aujourd'hui
dawn	dawn	l'aube
	to dawn on	venir à l'esprit que...
	at dawn	`l'aube

day	day	le jour
	all day (length)	toute la journée
	everyday	tous les jours
	today	aujourd'hui
	yesterday	hier
	the day that/when	le jour où
	the day after tomorrow	après demain
dead	dead	mort
	to die	mourir
	he's dead	il est mort
dear	clear + noun/name	cher/chère + noun/name
	dear to	cher/chère à
decision		
	decision	la decision
	to make a decision	prendre une decision
	to decide to	decider de/à
deep	deep	profonde
	2 meters deep	2 mètres de profondeur
	deeply	profonément
degree		
	degree	le degré
	to some degree	jusqu'à un certain point
	30 degrees above 0	3o degrés au-dessus de
	30 degrees below 0	30 degrés en-dessous de

Despite	despite	en dépit de
différence		
	difference	la différence
	it doesn't make a difference	cela m'est égal
	it makes no difference	cela reinvent au même
dis-	prefix	un-/in-
disagree		
	to disagree with	ne pas être d'accord avec
	I disagree with you	je ne suis pas de votre avis
	Wine disagrees with	le vin ne me convient pas
	Disagreeable	désagrable/déplaisant
dish	dish/plate	le plat/l'assiette
	prepared dish	un plat préparé
	to do the dishes	faire la vaisselle
distant		
	distant	lointain/distant
	distance	la distance
	distant relative	un parent éloigné
do	question	---
	inf to do	faire

double		
	double	double
	double l	deux l
	double room	une double
doubt	a doubt	le doute
	I doubt it	j'en doute
	i have my doubts	j'ai mes doutes
	i doubt that	je doute que
dozen	the dozen	la douzaine
	by the dozen	par douzaine
draft	to draft	rédiger
	a draft	un brouillon
	the 1st draft	le premier jet
dull	of a person/noun	san éclair/terne
	of a chore	ennuyeux
during	during	pendant/pendant que

EEE

each	see every	
early	early	tôt
	earlier than	plus tôt que
	to be early	être en avance
east	east	l'est
	east of	à l'est de
	to the east	à l'est

easy	easy	facile
	it's easy to	c'est facile de
	it's easier to.. than to	c'est plus facile de… que de..
	the easiest	le plus facile
edge	edge	le bord
	at the edge of	au bord de
	to be on edge	être énervé
either	either	soit
	either… or…	soit…soit
	not either.. or	ni…ni
	either one	l'un ou l'autre
else	or else	ou
	someone else	quelqu'un d'autre
	elsewhere	ailleurs
	something else	quelque chose d'autre
	no one else	personne d'autre
empty	empty	vide
	to empty	vider
end	the end	la fin
	to end	finir
	at the end	à la fin
	end – tail	le bout (de)
	endless	sans fin
English		
	language	l'anglais

enough		
	enough	assez
	enough of	assez de..
entire	entire + noun	entier/entière + noun
	entirely up to you	entièrement `vous de...
error	error/mistake	faute/erreur
	typo	une faute de frappe
especially		
	especially	surtout
even	even	même
	even if/though	même si
	even number	un nombre pair
	even I	même-moi
	even surface	une surface plane
	even + adj +than	encore plus + adj +que
evening		
	evening	le soir
	good evening	bon soir
	this evening	ce soir
	last evening/night	hier soir
	all evening	toute la soirée
	every evening	tous les soirs
	the evening before last	avant-hier soir
	tomorrow evening	demain soir

event	event	le cas/l'evenement
	in the event that	au cas où
	sporting events	des épreuves sportives
ever	ever/never	jamais
	forever	toujours/pour toujours
	don't ever	ne...jamais
every	every + noun	chaque
	each one	chacun/chacune
	everyone	tout le monde
	everything	tout
	every time	chaque fois
	every where	partout
exact	see correct	
except	except	sauf
	except me/you	sauf moi/toi
	except for	à part
	except that	sauf que
excuse	an excuse	une excuse
	excuse me	excusez-moi/pardonnez-moi
	excuse me for...	pardonnez-moi de..
expensive		
	expensive	cher/chère
	it's too expensive	c'est trop cher
	so expensive	sic her
extra	extra	en plus/supplémentaire

FFF

face	to face	faire face à
	face to face	nez a nez
	to face facts	regarder les faits
fact	a fact	un fait
	as a matter of fact	à vrai dire/en réalité
	the fact is	c'est que
fair	adjective	clair €
	to be fair	être juste
	it's not fair	ce n'est pas juste
faith	faith	la foi
	to have faith in	avoir foi/confiance en
	faithful	loyal/fidèle
fall	season	l'automne
	to fall	tomber
	to fall in love with	tomber amoureux de
false	false	faux/fausse
famous		
	famous	célèbre/renommé/connu
far	far	loin
	far from	loin de
	far ahead	loin devant
	farther	plus loin
fashion	a fashion	un mode/une manière
	in fashion	à la mode

fast	fast (adj)	rapide/vite
	the clock is fast	l'horloge avance
	not so fast!	pas si vite!
fault	fault	la faute
	a person's faults	les défauts d'une personne
	it's my fault	c'est de ma faute
favor	a favor	une faveur
	do me a favor	faites-moi une fleur/faveur
fear	fear	la peur
	to fear something	avoir peur de
	my fears are	mes craintes sont
	I'm afraid so	j'en ai peur
feel	to feel/touch	toucher
	to feel	ressentir
	a feel bad	se sentir mal
	a feeling	un sentiment
	to feel like (having)	avoir envie de
few	few of	peu de + plus. Noun
	a little	un peu
	a few	quelques + plur. Noun
field	a field (professional)	un secteur
	a field (agriculture)	un champ
	a sports field	un terrain de sport
file	a file (document)	un dossier
	to file	classer

final	final	dernier/final
	to finalize	finaliser
find	to find	trouver
	finding	une trouvaille/une découverte
	can't be found	introuvable
	to find out	découvrir/se rendre compte de
first	first	premier
	at first	en premier/d'abord/tout d'abord
	the first	le premier
floor	a floor/story	un étage
	on the 1st floor	au premier étage
	the floor	le sol/le plancher
foot	foot	un pied
	one foot long	un pied de long
	on foot	à pied
for	for	pour
	during	pendant
	for 3 years	pendant trois ans
foreign		
	foreign	étranger/étrangère
	language	une langue étrangere
	trade	le commerce extérier

former		
	former	antérieur/precedent
	friend	ancient ami
	I prefer the fomer	je préfère celui-ci/celle-là
forward		
	forward	d'avant/de l'avant
	to go forward	avancer
	please forward	faire suivre svp
free	free	gratuity
	a free country	un pays libre
	it's free	c'est gratuity
	freedom	la liberté
	to free oneself	se libérer
fresh	adj.	frais/fraiche
	fresh water	eau douce
	to be fresh	être effronté/manquer de respect
from	from	de
	from the	du/de la/de l'/des
	from… to	de… à
front	see before	
full	full	rempli(e)/plein(e)/entier(e)
	a full stomach	un estomac plein/rempli
	to buy at full price	achèter à prix fort
	full moon	la pleine lune
	to work full time	travailler à temps plein

fun	to make fun of	se moquer de
	it's fun	c'est amusant
	to have fun	s'amuser
fund	to fund	accorder des fonds
	funds	des fonds
	a fund	une caisse/un compte
future	future	future
	in the future	à l'avenir

GGG

gain	a gain	un profit/un gain
	to gain time	gagner du temps
	to gain weight	prendre du poids
gap	a gap	un trou/un espace/une brèche
general		
	in general	en général
	generally	généralement
	general idea	une idée générale
get	to get	obtenir
	get it !	prenez-le !
	get out	sortez
	get away	allez-vous-en
	get out of the way	poussez-vous
	to get up	se lever
	to get into (car)	monter en/dans
	to get down	descendre
	to get along	s'entendre
	easy to get along with	facile à vivre
	what are you getting at	où voulez-vous en venir

give	to give	donner
	to give up	abandoner
	to give back	rendre
	at a given time	à un moment donné
	given the circumstances	vue les circonstances
	to give oneself to	se consacrer à
go	to go	aller
	to go away	s'en aller
	to go up	monter
	to give back	rendre
	to go to sleep	s'endormir
	to go well	bien se passer
	to go on	se passer
	what's going on	qu'est-ce qui se passe ?
	let me go !	laissez-moi partir
	no go !	pas question/rien à faire
	who goes there	qui va là
	it goes without saying	cela va sans dire
	it goes for 10 euros	à dix euros
good	good	bon/bonne
	it's good	c'est bon
	it is good to	c'est bon à
	a good person	aimable/after noun
	something good	quelque chose de bon
	good for nothing	bon à rien
	good for…	bon à…
	for your good	pour votre bien
	it's no good to	cela ne sert à rien de
	a good size	de belle taille
	goodness	la bonté

grand	grand	grand
	grand/mother etc.	grandmère, etc.
	grand/children	petits-enfants
	grand/son	petits-fils/fille
great	great	grand
	great grandparents	arrière grand parents
	to be great	être formidable
	greatness	la grandeur
ground		
	the ground	le sol/la terre
	on the ground	parterre
	on what grounds	à quel titre
	grounds for...	les motifs de...
grow	to grow (crops)	cultivar
	to grow	grandir/pousser/grossir
	to grow up	grandir
	to grow into	devenir

HHH

habit	a habit	une habitude/une coutume
	to be in the habit of...	avoir l'habitude de..
	to get into a habit of...	prendre l'habitude de..
half	a half	une moitié
	half of	la moitié de
	a half hour	une demie-heure
	half + adjective	à demi/à moitié + adj

hand	a hand	une main
	to hand	donner
	to hand over to	remettre à
	to hand out	distribuer
	hand-made	fait à la main
	to take by the hand	prendre par la main
	to have one's hands full	avoir beaucoup à faire
	a handful	une poignée
	a lend a hand	donner un coup de main
hang	to hang	suspendre/pendre
	to hang on to	s'accrocher a
	to hang out/around	flâner
	hang on	ne quittez pas
	to hang up	raccrocher
happen		
	to happen	arriver
	what happened?	qu'est-ce qui s'est passé?
happy	adj	heureux(se)/content(e)
	happy to	heureux de
hard	hard (adj.)	dur€
	it's hard to understand	c'est difficile à comprendre
	hard to please	être difficile/exigeant
	to work hard	travailler dur
harm	to harm someone	faire du tort a/nuire à
	no harm done	il n'y a pas de mal
	to see no harm in	ne pas voir de mal
he	subject pronoun	il

head	a head	une tête
	to head something	être à la tête de
	a head of department	chef de service
	to head towards	se diriger vers
	a headache	un mal de tête
heavy	adj	lourd/pseant
	heavy-deep	profond
help	to help	aider
	a help	le secours/l'aide (f)
	help yourself	servez-vous
	i can't help it	je ne peux pas m'en empêcher
	helpful	serviable/secourable
hence	hence	dorénavant/désormais
	thus	ainsi/de là
her	possessive	son/sa/ses
	tell her	dites-lui
	I see her	je la vois
	herself	elle-même
	to herself	se
here	here	ici
	right here	ici-même
	from here	d'ici
high	three m high	trois mètres de haut
	height	la hauteur
him	tell him (ind. pronoun)	dites-lui
	I see him (dir pronoun)	Je le vois.
	himself	lui-même
	to himself	se

hire	to hire someone	embaucher quelqu'un
	to hire = rent	louer
his	possessive	son/sa/ses
hold	to hold	tenir
	to hold a conversation	s'entretenir
	hold on	ne quittez pas
	I'm putting you on hold	je vous mets en attente
	to hold on to	s'accrocher à
home	at home	à la maison
	to feel at home	se sentir chez soi
	to go home	rentrer a la maison
	homesick	le mal du pays
	homemade	fait à la maison
hope	a hope	un espoir
	hopeless	san espoir
	to hope	espérer
	to hope that...	souhaiter que + subj
hot	hot (adj)	chaud (e)
	to be hot	avoir chaud
	hot = stolen	vole
	to have a hot temper	s'emporter facilement
	it's hot (weather)	il fait chaud
how	how	comment
	how much	combien
	how many	combien de+plur. noun
however		
	however	cependant
	however you do it	quelque soit la manière

hungry	to be hungry	avoir faim
	hunger	la faim
	to be hungry for...	avoir faim de
hurry	to hurry	se presser
	to be in a hurry	être pressé
	hurry up	dépêchez-vous

III

Idea	an idea	une idée
	to have an idea avoir une idée	
	to give a gereral idea	donner un aperçu
if	if	si
	if not	sinon
	if only	si seulement
ill	ill (adj)	malade
	to be ill	être malade
	ill at ease	mal à l'aise
inch	an inch	un pouce
	an inch long	un pouce de long
including		
	including	y compris
	including me/you	moi/toi compris
	included	compris
	to include	inclure/comprendre
in	in	en/dans
	in (with a city)	à
	inside	dedans
	on the inside of	à l'intérieur de...

indeed	indeed	en effet
indoor	indoor (adj) to go indoors	d'intérieur rentrer
indulge	to indulge in	s'abandonner à
inedible	inedible (adj)	immangeable/inedible
inexpensive	inexpensive (adj)	bon marché
inferior	inferior to inferior complex	inférieur à un complexe
d'infériorité		
inflation	infllation	inflation
influence	to influence under the influence	influencer sous l'emprise de
inform	to inform to inform that	informer/mettre au courant faire savoir que
information	information	information/ renseignement
inner	inner	intérieur
inquire	to inquire about an inquiry	se renseigner sur/de une enquête

instalment	instalment	un versement
	to buy in instalments	échelonner les paiements
	downpayment	verser un accompte
instance	at the instance of	sur l'instance de à la demande de
	for instance	par exemple
	in many instances	dans beaucoup de cas
instead	instead of	à la place de
	instead	au lie de/à la place de
insurance	an insurance	une assurance
	life insurance	une assurance vie
intend	to intend to	avoir l'intention de
	intended for	destine à
interest	to be interested in	s'intéresser à
	to interest	susciter l'intérêt
	of public interest	d'intérêt publique
internal	internal	intérieur
interview	an interview	un entretien
	to interview someone	avoir un entretien avec
it	it	ça
	itself	soi-même
	in itself	en soi

JJJ

jam	to jam	coincer/bloquer
	a traffic jam	un embouteillage
	to be in a jam	être dans le pétrin
job	a job	un travail/un boulot
	to do odd jobs	bricoler
join	to join	s'unir à/se joindre à
	to join a group	s'unir à
	to join together	joinder/unir/réunir
	joint project	un projet en common
joke	a joke	une blague
	to joke	blaguer/plaisanter
jot	to jot	noter
joy	joy	la joie
	to jump for joy	sauter de joie
	joyful	joyeux(se)
judge	a judge	un juge
	to judge	juger
jump	to jump	sauter
	a jump	un saut
	to jump the gun	prendre les devants
	jump for joy	sauter de joie
just	just	juste
	just in time	juste à temps
	that's just it	c'est justement ça!

KKK

Keep	to keep	garder
	To keep a secret	garder un secret
	To keep quiet	garder le silence
	To keep warm	garder au chaud
	To keep someone	retarder
	To keep smiling	garder le sourire
	keep something back	faire des cachoteries
	keep on	continuer à/de
	keep from	empêcher de
	keep out	défense d'entrer
	keep out of it	ne vous en mêlez pas
	keep up a building	maintenir/entretenir
kind	type	genre/type
	a kind of	un genre de
	what kind of	quel genre de
	kind (adj)	aimable/gentil
know`	to know someone/ thing	connaitre quelqu'un/ quelque chose
	to know about smthg	savoir
	a known fact	un fiat connu
	I should have known	J'aurais du savoir
	I know him	Je le connais
	I would not have known	Je ne l'aurais pas su
	to know by heart	savoir/connaitre par Coeur
	let me know	fais-moi savoir
	I know nothing about it	Je n'en sais rien

LLL

land	vs. sea	la terre
	to land	atterrir
	distant lands	des pays lontains
lane	(road)	la voie
	right lane	la voie de droite
	a small street	une ruelle
lap	a person's lap	les genoux
	in sports	un tour de piste
	to lap over	chevaucher
	to lap up	avaler
large	large (adj)	grand(e)/gros(se)
	a large family	une famille nombreuse
	large meal	repas copieux
	large scale	de grande envergure
	at large	au large
	large sized	de grand format/taille
last	last	dernier (after noun)
	at last	enfin
	the last (to)	le (la) dernier € à
	to last	durer
	last but not least	enfin et surtout
	last week	la semaine dernière

later	later	plus tard
	see you later	à plus tard/à tout à l'heure
	later than	plus tard que
	late	en retard
laugh	laugh	le rire
	to laugh	rire
	to laugh at	rire
	to laugh at someone	se moquer de
	for a laugh	histoire de rire
lead	to lead to	porter à
	to lead someone	emmèner/conduire
least	the least	le moindre
	at least	au moins
	to say the least	pour dire le moins
	the least you can do	la moindre des choses
leave	to leave	partir
	to leave behind	laisser
	to leave someone	quitter
	leave of absence	un congé sans solde
	left-overs	des restes
	left over goods	un surplus
left	to/on the left	à gauche
	left-wing	à gauche/de gauche

leg	leg (human)	la jambe
	a leg (animal)	la patte
	table leg	le pied
	to stand on one	se tenir sur un pied
	to pull someone's leg	faire marcher
less	less	moins
	less than	moins que
	in less than	en moins de
	nonetheless	néanmoins
	no less than	pas moins de
	to lessen	amoindrir/diminuer
let	to let	laisser/permettre
	let me introduce	laissez moi présenter
	let's	imperative form
	to let down	décevoir
	let me in	laissez-moi entrer
license	a license	une license
	a drivers' license	permis de conduire
	to license	patenter/licencier
	licensed	licencié
lie	to lie (position)	être couché
	to lie down	s'allonger/se coucher
	here lies...	ci-gît
	to lie still	rester tranquille
	a lie	un mensonge
	to lie	mentir
	don't lie to me	ne me mentez pas

life	a life	une vie
	to take a life	tuer
	the life of the party	le bout en train
	alive	vivant
light	a light	une lumière
	to shed light on	révéler
	to light	allumer
	a traffic light	un fe
	to give the red light	donner le feu vert
	high beams	les phares
	headlights	les codes/phares
	parking lights	les veuilleuses
	a light color	une couleur Claire
	a light – match	du feu
like	like	semblable/pareil(le)
	like him	comme lui (ind. object)
	like father like son	tel père, tel fils
	someone like you	quelqu'un comme moi
	one like it	un pareil
	to like	aimer/bien aimer
	likely	vraisemblable/probable
likewise		
	likewise	aussi
	to do likewise	en faire autant

line	a line	une ligne
	a line of people	une queue/une file
	to line up	faire la queue
	drop someone a line	écrire un mot
	airline	ligne/compagnie aérienne
	line of thought	une suite d'idées
	line of business	une spécialité/métier
little	little	peu
	a little	un peu
	a little of	un peu de
	a little more	un peu plus
	little (adj)	petit
	little + noun	suffix -et/-ette/-elle
live	to live	vivre/être en vie
	long live !	vive !
	as long as I live	tant que je serai en vie
	to live	vivre
	the living	les vivants
	live (alive)	vivant
	to make a living	gagner sa vie
long	long (adj)	long (ue)
	3 meters long	3 mètres de long
	length	longueur
	how long is...	de quelle longueur
	how long (future)	pendant combien de temps?
	how long (past)	depuis combien de temps ?
	2 days long	deux bonnes journées
	the days are getting longer	les jour se rallongent

	at the longest	au plus
	before long	avant peu
	a long time before	a moment avant que
	for long/a long time	pendant longtemps
	take a long time to	mettre longtemps à
	not long before	peu de temps avant que
	not long ago	il n'y a pas longtemps
	all day long	toute la journée
	to long for	desirer
look	a look	un regard
	take a look	jetter un coup d'œil
	one's looks	l'aspect/l'apparence
	to look at	regarder
	to look the other way	détourner les yeux
	to look well	avoir bonne mine
	to look like	avoir l'air/ressembler à
	look!	Regardez!
	to look down	baisser les yeux
	to look forward to	se réjouir de
	to look up to	admirer
	to look for	chercher
	to look up	lever les yeux
lose	to lose	perdre
	to lose interest	perdre de son intérêt
	to lose sight	perdre de vue
	lose an opportunity	râter une opportunité
loss	to be at a loss	être en perte de
	a loss	une perte
	to sell at a loss	vendre à perte

loud	loud (adj)	fort/bruyant
	aloud	à voix haute
	a loud speaker	un haut parleur
love	love	un amour
	to love	aimer
	for the love of	pour l'amour de..
low	low	bas/base
	low price	un bas prix
	a diet low in	un régime à basse teneur
	in a low voice	à voix basse
	to lower oneself	se rabaisser
	to lower	baisser
	at the lowest	au plus bas
luck	to be lucky	avoir de la chance
	good luck !	bonne chance
	it was luck	c'était le hasard
	to try one's luck	tenter sa chance
	lucky charm	un porte-bonheur
	just my luck	c'est bien ma chance/veine
	lucky you	espèce de veinard(e)

MMM

mad	mad (adj)	fou/folle
	to be angry	être en colère
	to be mad about	être fou de (quelqu'un)

make	a make	de fabrication
	to make	faire
	to make up	inventer
	made of	en (or), fait de
	made by	fait par
	to make of	penser de
	to make money	gagner de l'argent
man	a man	un homme
	every man	chaque/tous les hommes
	all men	tous les hommes
	some men	certains
	ice cream man	le marchande de glace
	man and wife	mari et femme
	manpower	la main d'oeuvre
	to man	équiper
manner		
	good manners	de bonnes manières
	in this manner	de cette manière/façon
	in what manner ?	de quelle manière ?
	the manner in which	la manière don't
many	many/a lot of	beaucoup de + plural noun
	many	bien des + plural noun
mark	to mark	marquer
	good marks	de bonnes notes
	mark/brand	une marque
	target/goal	un but/cible
	on your marks	à vos marques

marry	to marry	épouser/se marier (avec)
	a marriage	un marriage
	by marriage	par alliance
master	a master	un maître
	to be master of	être maître de
	a master of + field	licencié ès + field
	to master	connaître à fond
	to master = tame	dompter/maîtriser
match	to match	égaler
	matching colors	des couleurs correspondantes
	book of matches	un boîte d'allumettes
	a match	une allumette
matter	matter	une matière/uns substance
	a matter	un sujet/une matière/ une affaire
	no matter how	de quelque manière dont
	it doesn't matter	cela ne fait rien/que importe
	to matter	importer
may	month	mai
	in May	en mai
	may I	puis-je (pouvoir)
	maybe	peut-être
me	me	moi
	he sees me (dir obj)	il me voit
	he gives me (indir)	il me donne

mean	to mean	signifier/vouloir dire
	what does it mean?	Qu'est-que cela veut dire ?
	to mean well	avoir de bonnes intentions
	meant to represent	être censé représenter
	mean (adj)	méchant/désagréable
	by all means	bien sûr/faites donc
mid	midday	midi
	mid-week	mi-semaine
	mid-June	mi-juin
	midnight	minuit
	midway	à mi-chemin
	midwinter	au milieu de l'hiver
middle	the middle	le milieu
	in the middle	au milieu
	from the middle	du milieu
might	to be able to	pouvoir/je pourrais
mild	mild (adj)	doux/douce
mind	a mind	un esprit
	to come to mind	venir à l'esprit
	in my mind	à mon avis
	to mind	faire attention à
miss	to miss someone	manquer à
	I miss you	vous me manquez
	a miss	un coup manqué
	miss (lack)	une manque
	a missing object	un objet manquant

money	money (in general)	une monnaie
	money	de l'argent
	change	de la monnaie
mood	a mood	une humeur
	to be in a good mood	être de bonne humeur
	to be in no mood for	ne pas avoir envie de+ inf.
	moody	lunatique
moon	the moon	la lune
	full moon	la pleine lune
	once in a blue moon	tous les 36 du mois
more	more	davantage/encore
	more + adj.	plus + adjective
	more… than	plus que…
	more than one	plus d'un/e
morning		
	a morning	un matin
	in the morning	le matin
	this morning	ce matin
	every morning	tous les matins
	all morning	toute la mâtinée
	yesterday morning	hier matin
most	most	la plupart
	most + noun	la plupart de + plur. noun
	the most	le plus

much	much	beaucoup
	too much	trop
	much of	beaucoup de + plur. noun
	too much of	trop de
must	to have to	devoir

NNN

name	a name	un nom
	first name	prénom
	last name	nom de famille
	my name is	je m'appelle
	to name	nommer/appeller
	named	nommé
narrow	narrow (adj)	étroit
	narrowly	étroitement
	narrowly-barely	tout juste/de justesse
	narrow-minded	étroit d'esprit
nature	mother nature	la nature
	the nature of	la nature de
	it's in his nature	c'est dans sa nature
near	near	près de
	the nearest	le/la plus près
	nearly	de près
	nearly-almost	presque
	to near	s'approcher de

need	a need	un besoin
	there's no need to	ce n'est pas necessaire de
	to have a need to	avoir besoin de
	in need of	avoir besoin de
	needy	dans le besoin
	to need	falloir que
	I need to	il faut que je + subj
neither		
	neither/nor	ni
	neither... nor	ni...ni
	neither I nor her	ni moi ni elle
nerve	a nerve	un nerf
	you have some nerve	vous avez du toupet
	nervous	nerveux
nevertheless		
	nevertheless	néanmoins
new	new (adj)	nouveau/nouvelle
	something new	quelque chose de nouveau
	newly	de frais/nouvellement
	new born	nouveau né
	news	une nouvelle/des nouvelles
next	next	prochain (before noun)
	next to something	à côté de + noun
	next to + verb	à part + inf.

night	a night	une nuit
	last night	hier soir
	at night	la nuit
	tomorrow night	demain soir
no	no	non
	no (pertains to noun)	ne...pas de..
	no one	personne
	nowhere	nulle part
	nothing	rien
	nowhere else	nulle part aillaurs
	no + noun	aucun
north	north	le nord
	to the north	au nord
	to the north of	au nord de
	northern	du nord
not	not	ne...pas
	not me	pas moi
	not at all	pas du tout
notice	to notice	s'apercevoir de/remarquer
	a notice	un avis/une notification
	I didn't notice	je n'ai pas remarqué
	until further notice	jusqu'à nouvel avis
now	now	maintenant/à présent
	right now	tout de suite
	not now	pas maintenant
	just now	à l'instant même

OOO

obvious		
	obvious (adj)	évident
	obviously	évidemment
occur	to occur	arriver/se produire
	this never occurs	cela n'arrive jamais
	it didn't occur to me	cela ne m'était pas venu à l'esprit
odd	odd number	nombre impair
	strange	bizarre/étranger
	odds	les chances
of	of	de
	of the	de/du/de la/de l'/des
	of all/out of all	de tous
	of course	bien sûr/bien entendu
off	to turn off	éteindre
	to go off	partir/s'en aller
	off	fermé/éteint
	to take off (clothing)	enlever
	to fall of	tomber de
	off the road	qui donne sur la rue
	get off	descendez
	a take-off	un envol
	time off	du temps de libre

office	an office	un bureau
	to take office	prendre un poste
	to come into office	prendre le pouvoir
	a head office	un siege social
	public offices	l'administration (publique)
	office work	le travail de bureau
	an office worker	en employé de bureau
often	often	souvent
	more often than not	plus souvent que pas
	less often	moins souvent
old	old (adj)	vieux/vieille
	to be 5 years old	avoir 5 ans
	how old are you	quell âge avez-vous
	former	ancient(ne)
on	on	sur
	on board	à bord
	on	ouvert/allumé
	on page 2	à la page 2
	on Sundays	le Dimanche
	on time	à l'heure
	on my arrival	à mon arrivée
	to put on (clothes)	mettre
once	one time	une fois
	once and for all	une fois pour toutes
	once in a while	de temps en temps
	once upon a time	il était une fois

one	one	un/une
	you/we/one	on/l’on
	one must	il faut + inf.
	one must	il faut que + subj
only	only	seulement
	only child	enfant unique
	only if	seulement si
	if only	si seulement
open	open (adj)	ouvert
	half open	entrebaillé
	to open	ouvrir
opposite		
	opposite	opposé à
	opposite page	ci-contre
	the house opposite	la maison d’en face
	the opposite direction	en sense inverse
		à contresens
	to be opposite	vis-à-vis
or	or	ou/ou bien/ ou alors
	or it	ou si
order	to order	commander
	in order	en règle
	in order to	afin de + inf.
	an order	un ordre
	to give an order	donner un ordre
otherwise		
	otherwise	autrement/sans quoi

our	possessive	notre
	ourselves	nous-mêmes
	to ourselves	nous
out	out	dehors
	outside of	en dehors de
	to be out of	n'avoir plus de + noun
over	over	au-dessus
	to go over	passer par-dessus
	to go over to	aller vers/jusqu'à
	to be over (done)	fini

PPP

part	a part	une partie
	part of	une partie de
	to be part of	faire partie de
	to take part in	participer à
pass	to pass	passer
	to pass (overtake)	dépasser
	in passing	en passant
	to pass away	disparaître/mourir
	to pass for	passer pour
	to pass through	traverser
	a pass	une passe
past	the past	le passé
	former	ancien(ne)
	the past few days	ces jours derniers
	as in the past	comme par le passé
	past	au-delà de

pay	to pay	payer
	salary	la paie/le salaire
	payday	le jour de la paie
	it paid off	cela valait la peine
	a payment	un paiement
peak	a peak	une cime/un sommet
	peak hours	les heures de pointe
pencil	a pencil	un crayon
	colored pencil	un crayon de couleur
	in pencil	au crayon
people	people	les gens
	the people of…	le people de…
per	per day/week, etc.	par jour/semaine
	per someone	d'après
	per our conversation	d'après notre conversation
perfect	perfect (adj)	parfait(e)
	to perfect	parfaire
	to perfection	à la perfection
phone	a phone	un téléphone
	cellphone	un portable
	to phone	téléphoner
	to be on the phone	être au telephone
place	place	endroit/lieu
	2nd place	2ème place
	this is the place	c'est ici…

play	a play	une pièce de théâtre
	a play (sport)	un coup
	a play on words	un jeu de mots
	to play	s'amuser/jouer
	to play with fire	jouer avec le feu
please	please	s'il vous plait/s'il te plaît
	abbreviations	SVP/STP
	to please	faire plaisir à
point	a point	un point
	to disagree on a point	ne pas être d'accord sur un point
	to the point	bien dit/droit au but
	to point out/at	montrer/faire remarquer
	up to a point	jusqu'à un point
	everything points to	tout porte à croire
	a sharp point	une pointe
poor	poor	pauvre
	poor excuse	une piètre excuse
	the poor	les pauves
position		
	a position	une position/une attitude
	to take position	prendre position
	vertical position	la station verticale
pound	a pound	une livre
	by the pound	à la livre
	... the pound	... la livre
	dog pound	une fourrière
	to pound	broyer/piler

power	power	le pouvoir
	energy	une énergie
	in my power	dans mon pouvoir
	powered by	actionné par
present		
	present (adj)	présent
	to be present	être présemt/assister à
	all present	toute l'assistance
	at present	à present
	to present	presenter
provide		
	to provide	fournir
	to provide against	se prémunir contre
	provided in	prévu(e) dans
	provided that	pourvu que + subj.
purpose		
	a purpose	le but/le dessein/l'objet (m.)
	for the purpose of	dans le but de
	to do on purpose	faire exprès

put	to put	mettre
	to put down	poser
	put down animal	piquer
	to put away	ranger
	to put away in jail	mettre en prison/en tôle
	to put bluntly	parler franc
	to put an end to	mettre fin à
	to put to bed	mettre au lit
	to put through	faire subir
	to put to sleep	endormir
	to put off	remettre
	to put on	mettre

QQQ

quake	to quake	trembler
	a quake	un tremblement
	an earthquake	un tremblement de terre
quality	a quality	une qualité
	good quality	de bonne qualité
	quality of life	la qualité de la vie
	qualities of	la valeur de
quantity		
	a quantity	une quantité
	to buy in large..	acheter en grosses quantités

quarter

	quarter	un quart
	quarter – 3 months	un trimestre
	quarterly	trimestriel
	the Latin quarters	le quartier Latin
	a quarter to one	une heure moins le quart
	a quarter hour	un quart d'heure

quench

	to quench one's thirst	se désaltérer

question

	to question	interroger
	a question	une question
	to ask a question	poser une question
	to question an issue	soulever une question
	it's out of the question	c'est hors de question
	questionable	constesable/discutable

quick	quick (adj)	rapide
	have a quick temper	s'emporter rapidement
	quick to act	prompt à agir
	quickly	vite/rapidement
	to quicken	presser/accéler

quiet	quiet (adj)	calme/tranquil/tranquille
	to be quiet	se taire
	a quiet dinner	un dîner intime
	to lead a quiet life	mener une vie tranquille
	to quiet	apaiser/calmer

quite	quite	tout à fait/entièrement
	quite enough	bien assez

quota	a quota	un quota/un quotient
quote	a quote	une citation
	to quote	citer

RRR

race	a race (sport)	une course
	a race (people)	une race
	to race	faire la course
	to race after	courser
	a boat race	une course de bâteau
	a race car	une voiture de course
rail	a railing	une balustrade
	a rail	un rail
	a railroad	un chemin de fer
	to jump the rail	dérailler
rain	the rain	la pluie
	to rain	pleuvoir
	it's raining	il pleut
	to walk in the rain	marcher sous la pluie
raise	to raise (child)	élèver
	to raise one's voice	lever la voix/hausser le ton
	a raise (salary)	une augmentation
	to raise a price	augmenter

rare	rare (adj)	rare
	rare meat	saignant,e
	rarely	rarement
rate	a rate	un taux
	birth rate	le taux de natalité
	a rate – speed	la vitesse
	at that rate	à cette vitesse là
	at any rate	en tous les cas
	to rate	estimer/évaluer
	to rate 1-10	classer
rather	rather	plutôt
	rather than	plutôt que/au lieu de
	i'd rather	je préfererais
raw	raw	cru,e
	raw material	brut,e
re-	prefix	re/ra – prefix
	in reference to	au sujet de
reach	to reach	tendre/atteindre
	within reach	à la portée de
	out of reach	hors de portée
	easy to reach	à proximité de
	to reach a place	arriver à
ready	ready (adj)	prêt,e
	to be ready	être prêt
	ready made	tout fait
	ready made clothes	prêt à porter

real	real (adj)	vrai, e
	real = very	très
	real estate	immobilier
	really	vraiment
rear	see behind	
reason	a reason	une raison/une cause
	to reason	raisonner
	reason to believe	lieu de croire
	reasonable	raisonnable.
refer	to refer to	faire reference à
		se référer à
	a reference	une reference
	to give references	fournir des références
refund	a refund	un remboursement
	to refund	rembourser
regard	to regard	considerer
	in this regard	à cet égard
	regardless of...	malgré
relax	to relax	se reposer/se détendre
	to relax (muscle/effort)	relâcher
rely	to rely on	compter sur/dépendre de
remain	to remain	rester/demeurer
	remains	des ruines/des restes
	human remains	une dépouille
	a remainder	un restant

remark		
	a remark	une remarque/observation
remember		
	to remember	se souvenir de
	a remembrance	un souvenir
require		
	to require	exiger/demander
	is it required	est-ce qu'il le faut/nécessaire
	a requirement	une exigence/une nécessité
respect		
	to respect	respecter
	with respect to	en ce qui concerne
	in this respect	à cet égard
	out of respect for	par respect pour
	respectable	respectable
return	to return	retourner à/revenir à
	on my return	à mon retour
	on the return trip	au retour
	in return	en retour
reverse		
	reverse (adj)	inverse/contraire
	to put into reverse	mettre en marche arrière
review	a review	une revue/une révision
	to review	réviser/revoir
rid	to get rid of	se débarasser de
	good riddance	bon débarras!

ride	a ride	une promenade/un tour
	a car ride	promenade en voiture
	horseback ride	promenade à cheval
	to ride on	monter à/faire du, de la
	to ride in	se promener en/circuler en
	to go for a ride on	faire un tour/promenade à
	to go for a ride in	faire un tour/promenade en
right	the right (direction)	à droite
	to the right	à droite/sur la droite
	to have the right to	avour (like) droit de
	right away	tout de suite
	correct	correct/bon/juste
	right and wrong	le bien et le mal
roll	a roll (bread)	un petit pain
	a roll (paper)	un rouleau
	a roll (bills)	une liasse de billets
	to roll	rouler
	to roll up	enrouler
	to unroll	dérouler
	to roll (tears)	couler
	to roll oneself in	s'enrouler dans
room	a room	une chambre
	a room of a house	une pièce
	bathroom	salles de bains
	a bedroom	une chambre (à coiucher)
	room = space	de la place
	to take up room	prendre de la place
	a double room	une double
	a single room	une simple
	a 3 bedroom apart,	un 4 pièces

rough	rough (adj)	rêche/rugueux,se
	in a rough state	à l'état brut
	a rough draft	un brouillon
	a rough estimate	un calcul approximative
	roughly	approximativement
	to rough it	vivre à la dure
	to rough out	ébaucher
round	round (adj)	rond,e
	to make round	arrondir
	to round up	rassembler
	round figures	des chiffres ronds
	to round to...	arrondir à...
	a round of drinks	une tournée
	to go around	tourner
	go around in circles	tourner en rond
rule	a rule	une règle
	as a general rule	en règle Générale
	to rule over	commander/presider
	to rule out	'liminer
run	a run	une tournée
	at a run	au pas de course
	to break into a run	se mettre à courir
	a run of copies	un tirage
	in a long run	à la longue
	the run of...	libre accès à
	to run	courir
	to run about (around)	courir les...
	to run (machines)	marcher
	to run until	durer jusqu'à
	to run out of	être à court de

	running water	l'eau courante
	to run business	gérer une affaire
	to run away	se sauver
	to run from	se sauver de
	to be run down	être à plat
	to run over	écraser
	to run through	parcourir
rush	a rush	un rush
	to rush	se précipiter
	to rush down	descender à toute vitesse

SSS

sad	sad (adj)	triste
	to sadden	attrister
safe	safe (adj)	sauf (ve)
	to be safe from	être à l'abri de
	safely	sain et sauf
	to put safely away	mettre en lieu sûr
	safety	la sécurité
sake	for your own sake	dans votre intérêt
	for the sake of	pour l'amour de
sale	a sale	une vente/une promotion
	for sale	à vendre
	on sale	en promotion/en solde
	a salesperson	un vendeur/euse

salt	salt	du sel
	a pinch of salt	une pincée de sel
	salty	sale
same	the same	pareil(le)
	it's the same	c'est pareil
	at the same time	en même temps
	the same thing	la même chose
	it's the same to me	cela m'est égal
	to be the same as	égaler
sea	the sea	la mer
	by the sea	au bord de la mer
	to the seaside	à la mer
	the open seas	au large
	sea shell	un coquillage
	seafood	les fruits de mer
season	a season	une saison
	of the season	de saison
	to season	assaissoner
	high season (busy)	en saison
	low season	low season
second	a second	une seconde
	in a second	dans un instant
	the second	le deuxième
	to second	seconder

see	to see	voir
	to be seen	visible
	not fit to be seen	ne.. pas être presentable
	to see to	s'assurer que
	to see that	faire de sorte que
self	-self	-même
	to be oneself	être soi-même
	see for yourself	voyez vous-même
	self-serve	self-service/libre service
	self – prefix	auto = prefix
	selfish	égoiste
sell	to sell	vendre
	to sell for 1€	vendre 1€
	what does it sell for?	combien ça vaut?
	to sell out	liquider
send	to send	envoyer
	to send for	faire venir/envoyer chercher
sense	senses	les sens
	sense of smell	l'odorat m.
	sense of hearing	l'ouie
	sense of touch	le toucher
	to have the sense	avoir le sens de
	to sense	pressentir
	come to one's senses	reprendre ses esprits
	to make sense	être sensé

sentence		
	sentence (punishment)	une sentence
	a sentence	une phrase
	to make a sentence	faire une phrase
	to sentence to	condamner à
set	a set	un ensemble
	to set	placer/asseoir/poser
	to set a date	fixer une date
	to set to work	se mettre au travail
	to set apart	mettre de côté/rejeter
	to set back	retarder
	to set up	s'établir/s'installer
	set (adj)	figé,e
several	several (adv)	plusieurs + plur. Noun
shade	shade	l'ombre
	a shade (color)	une teinte
	shady	à l'ombre/ombrage,e
	to shade	donner de l'ombre
	to shade from	s'abriter de
shake	a shake	une secousse
	to shake	secouer
	to shake a hand	serrer la main
	shaky	tremblant,e
shape	a shape	une forme
	of all shapes	de toutes les formes
	to take shape	prendre forme
	to shape	former
	to shape oneself	prendre forme

short	short (adj)	court,e/petit,e
	short – brief	bref/brève
	a short time ago	il y a peu de temps
	for a short time	pendant peu de temps
	i'm 3€ short	il me manque 3€
	to be short of smthg	être à court de
	to cut short	couper la parole/abréger
	short term	à court terme
show	a show	un spectacle/une émission
	to show	montrer
	to show off	se donner en spectacle
	to show off before	cherche à épater
side	a side	un côté
	on your side	de votre côté
	to the side of	à côté de
	side by side	côte à côte
	the bright side	le bon coté
	on this side	de ce côté
	both sides	les deux côtés
	on all sides	de tous les côtés
	to change sides	changer de camp
	to take sides	prendre parti
	a side road	une route secondaire
sight	sight	la vue/une vue
	to catch sight of	apercevoir
	to lose sight of	perdre de vue
	at first sight	à la première vue
	to sight	apercevoir

since	since three hours	depuis trois heures
	since yesterday	depuis hier
	since 1980	depuis 1980
	since = because	puisque/parce ce que
	since when ?	depuis quand ?
single	single(adj)	seul,e/unique
	not a single one	pas un seul
	single (unwed)	célibataire
	a single room	une simple
	to single out	remarquer
size	a size (clothes)	une taille
	a size	une dimension
	full size	grandeur nature
	full size bed	un grand lit
	what size are you?	quelle taille faites-vous?
	what size shoes?	quelle poînture faîtes-vous?
	to size	classer/calibrer
	to size up	classer/juger
sleep	to sleep	dormir
	to go to sleep	s'endormir
	to be sleepy	avoir sommeil
	to sleep in	faire la grasse mâtinée
slight	slight (adj)	mince/frêle
	a slight improvement	un léger mieux
	not the slightest danger	pas le moindre danger
	not in the slightest	pas le moins du monde

slow	slow (adj)	lent,e
	slow motion	au ralenti
	to slow down	rallentir
small	small (adj)	petit,e
	to make oneself small	se faire tout petit
	small income	petits moyens/faible revenue
	small change	le menue monnaie
	the smallest	le plus petit
	the small of the back	le creux des reins
smooth		
	smooth (adj)	doux(ce) / lisse
	to smooth	lisser/adoucir
so	so	si/tellement/tant
	it's not so !	ce n'est pas vrai1
	not so small...as	pas si... que
	so to speak	pour ainsi dire
	i told you so	je vous l'avais bien dit !
	so do i	moi aussi
	so = thus	ainsi
	so = that's why	c'est pourquoi
	so-so	comme-ci, comme-ça
some	some	quelques + plus noun
	some + noun	du/dela/de/de l'/des
	something	quelque chose
	someone	quelqu'un
	somewhere	quelque part
	sometimes	quelquefois
	somewhere else	ailleurs
	some sort of	noun + quelconque

	some day	un jour/un de ces jours
	some distance from	à quelque distance d'ici
	some days ago	il y a quelques jours
	i have some	j'en ai
	some time ago	il y a un certain temps
soon	soon	bientôt
	sooner	plus tôt
	as soon as	aussitôt que
	no sooner said than done	pas sitôt dit que fait
south	the South	le sud
	south of	au sud de
	from the south	du sud
spot	a spot	une tache
	a spot (place)	un lieu/un endroit
	on the spot	immédiatement
	spots (dots)	des pois
	to spot (see)	voir/distinguer
	to spot (soil)	tacher/souiller
spring	spring (season)	le printemps
	a spring (water)	une source
	a spring (metal)	un resort
	to spring	jaillir/sauter/bondir
stand	to stand	être debout
	to stand up	se mettre debout
	to stand between	s'opposer à
	to stand to be	être/se trouver
	to stand out	se faire remarquer

state	a state	un état/une condition
	in good state	bon état
	state of mind	un état d'esprit
	to state	énoncer/announcer
stay	to stay	rester/demeurer
	to stay home	rester à la maison
	to stay up	veiller
	a stay	un séjour
step	a step	un pas
	to take a step	faire un pas
	the necessary steps	les démarches nécessaires
	first steps	les premiers pas/le début
	a step (stairs)	une marche
	to step out	sortir/s'absenter
	to step in	entrer
still	still	encore
	calm	tranquille
	still to this day	encore à ce jour
	to still	apaiser/calmer
strong	strong (adj)	fort,e
	strong material	solide/resistant,e
	to be strongly against	s'opposer fortement à
	strong argument	un argument puissant
such	such (adj)	tel(le)/pareil (le)
	such as	tel que
	such a thing	pareille chose
	like this	de ce genre
	no such thing	rien de tel

	such and such	tel
	in such a way that	de telle manière que
sudden	sudden	soudain
	suddenly	tout à coup/soudainement
take	to take	prendre
	to take back	reprendre
	to take back (return)	rapporter
	to take away	enlever
	to take hold of	saisir
	a take a walk	faire une promenade
	it takes...to	il faut... pour
	to take someone somewhere	emmèner
	to take after	avoir de
	to take over	prendre en main
	to take off (clothes)	enlever/se déshabiller
	to take off (plane)	s'envoler
to take something out on		s'en prendre à
taste	a taste	un goût
	good taste	bon goût
	a taste (sample) of	un échantillon
	to have no taste for	ne pas avoir de gout pour
	to find to one's taste	être à son gout
	to taste	goûter

tell	to tell	dire/raconteur
	to tell a story	raconteur une histoire
	to tell a lie	dire un mensonge
	to tell from	distinguer entre
	you can never tell	on ne sait jamais
	to tell = reveal	réveler
than	than	que
	rather... than	plutôt que
	better.... Than	mieux que
thank	to thank	remercier
	thank you	merci
	thank you very much	merci beaucoup
	thanks to you	grâce à vous
	thank you for	merci de/pour
	thankful	reconnaissant
	thankfulness	la reconnaissance
that	that	que
	that – who	qui
	is it that	est-ce que?
	that	ceci/cela
	that one	celui-là
	this and that	ceci et cela
	that + noun	ce/cet/cette/ces
	... i spoke about	... dont j'ai parlé
	that i like	que j'aime
	that time	cette fois-là
	that's why	c'est pourquoi
the	article the	le/la/l'/les

thing	a thing	une chose/un machin
	of all things	tenez-vous bien!
	out of all things	de tout ce que
	the thing is	c'est que
	for one thing	d'abord
	it's the one thing to…	c'est une chose de…
	the latest thing	le dernier cri
	one last thing	une dernière chose
	it's a good thing	heureusement
	how are things	comment ça va
think	to think	penser
	i don't think so	je ne crois pas
	i think so	je crois bien que oui
	to think of	penser à
	i wouldn't think of it	je n'y penserais pas
	let me think	voyons
	think again	réflechissez-y encore
	just think	pensez donc
	it's worth thinking about	cela mérite réflexion
	to think well of	estimer
their	possessive	leur/leurs
them	tell them	dites-leur (indirect object)
	i see them	je les vois (direct object)
	themselves	eux-mêmes/elles-mêmes
	to themselves	se (reflexive)
therefore		
	therefore	ainsi/donc
there is	there is	il y a
	there was	il y avait

these	these + noun	ces
	these without noun	ceux-ci/celles-ci
throw	to throw	jeter/lancer
	to throw at	envoyer à
	to throw the blame on	rejeter la faute à
	to throw a party	faire une soirée
	to throw away	jeter
	to throw away (waste)	gaspiller
	to throw back	rejeter
this	this + noun	ce/cet/cette
	this	ceci
	this one	celui-ci/celle-ci
	this and that	ceci et cela
	this time	cette fois-ci
those	those + noun	ces
	those without noun	ceux-là/celles-là
though	though	bien que/quoique
through	through	par
	to go through	passer à travers
	to go through rough times	traverser de mauvais moments
til	til dawn	jusqu'à l'aube
time	the first time	la première fois
	in time	à temps
	with time	avec le temps
	what time is it	quelle heure est-il
	the time that	la fois que
	at that time	à ce moment là
	to time	chronometrer

to	to	à/en
	to + city/pronoun	à
	to + noun	au/à la/à l'/aux
	to + name	chez
	in order to	afin de + infinitive
	for	pour + infinitive
	up to	jusqu'à
too	also	aussi
	too much	trop
	too much + infinitive	trop à + infinitve
	too much + noun	trop de + noun
	me too	moi aussi
trop	the top	la cime/le haut
	on top of	en haut de
	to be at the top of	être à la tête de
	to top it off	pour en finir
towards		
	towards	vers/envers
	towards – for	pour
	towards the end of	vers la fin de
	good towards me	bon envers moi
travel	to travel	voyager
	to be traveling	être en voyage
	traveller	voyageur
trip	a trip	un voyage
	to make a trip	faire un voyage
	to trip	trébucher

trouble	to be in trouble	avoir des ennuis
	the trouble is	le problème est que
	to ask for trouble	s'attirer les ennuis
	to have trouble doing	avoir du mal à + infinitive
	to trouble	déranger/inquiéter
	to take the trouble to	se donner la peine de
	it's not worth the trouble	cela ne vaut pas la peine
	sorry to trouble you	désolé de vous déranger
true	true (adj)	vrai,e
	to come true	se réaliser
	the truth	la verité
	to tell the truth	à vrai dire...
twice	twice	deux fois

UUU

un-	prefix	un/in-/dés
under	under	sous
	underneath	en-dessous de
unfair	unfair (adj)	injuste
	it's unfair	ce n'est pas juste
up	over	en haut
	to go up	monter
	all the way up	jusqu'en haut
	from 3 € up	à partir de 3€
	to go up in price	augmenter
	to sign up for	s'inscrire à
	to speak up	parler plus fort
	sit up	tenez-vous bien
	stand up	levez vous

	to be up	être debout
	to stay up	veiller
	what's up?	que'est-ce qui se passe ?
	what are you up to	que faites vous?
	it's up to you	c'est à vous de + infinitive
upper	upper	supérieur,e/haut,e

VVV

very	very	très
	very much	beaucoup
	very much so	tout à fait
view	a view	une vue
	in view of	en vue de
	a general view	un aperçu

WWW

way	way	façon/manière
	in this way	de cette manière
	by the way	au fait
	by the way of	à la
	get out of the way	poussez-vous
we	we (subject pronoun)	nous
	we/you/one	on/l'on
well	well	bien

what	what	quoi
	what is that	qu'est-ce que c'est?
	what?/excuse me?	comment?
	what do you	qu'est-ce que vous
	that	que
when	when	quand/lorsque
whereas	whereas	alors que/tandis que/ cependant
whether	whether	si
	whether or not	si oui ou non
which	which (one)	lequel/laquelle/lesquels(les)
	which + noun	quel/quelle/quels/quelles
	which one of you	lequel parmi vous
	of which	duquel/de laquelle
	with which	avec lequel/laquelle/lesquels
while	while	pendant que/tandis que
	while doing	en + present participle
who	who	qui
	whom I spoke about	don't j'ai parlé
	who I see (dir obj)	que je vois
whole	whole (adj)	entier,e
	the whole world	le monde entier
why	why	pourquoi
	why not	pourquoi pas
	this is why	c'est pourquoi/c'est pour cela
wide	wide (adj)	large
	2 meters wide	2 m de large
	width	la largeur

with	with	avec
	without	sans
	with me	avec moi
word	a word	un mot/une parole
	to keep one's word	tenir parole
	you have my word	je vous donne ma parole
	to word	rédiger
worse	worse	pire
	the worse	le pire
	worse than	pire que
	worse than anything	pire que tout
would	auxiliary verb=avoir	j'aurais/il aurait, etc.

XXX

YYY

year	year	un an/une année
	last year	l'année dernière
	next year	l'année prochaine
	in a year	dans un an
	every year	tous les ans
	all year long	toute l'année
	to be 3 years old	avoir 3 ans
	per year	par an
	leap year	année bissextile

yet	yet	encore
	not yet	pas encore
	yet again	encore une fois
	not yet	pas déjà
you	subject pronoun	tu/vous
	i see you	je te/vous vois (dir obj)
	you / one	on/l'on
your	possessive pronoun	ton/ta/tes/votre/vos
	yourself	toi-même/vous-même
	to yourself	te/vous

ZZZ

77 Milford Drive – suite 232, Hudson, OH 44236 – 330 313 4403

http://frenchlanguage.net frenchinhudson@gmail.com

Printed in Great Britain
by Amazon

43278004R00046